KB103245

오! 이젠 쉬 거라.

오! 이젠 쉬 거라.

발　행 | 2024년 06월 29일
저　자 | 유승배
펴낸이 | 한건희
펴낸곳 | 주식회사 부크크
출판사등록 | 2014.07.15.(제2014-16호)
주　소 | 서울특별시 금천구 가산디지털1로 119 SK트윈타워 A동 305호
전　화 | 1670-8316
이메일 | info@bookk.co.kr

ISBN | 979-11-410-8927-6

www.bookk.co.kr

오! 이젠 쉬 거라

시/삽화　유 승 배

차 례

시집을 내면서....

이번이 세 번째 시집이다. 첫 번째 시집은 시차를 두고 메모해 놓았던 것들을 한곳에 모아보았고, 두 번째 시집은 20대 초반 철없던 시절에 시랍시고 썼던 것들인데 누렇게 변한 노트에 잉크까지 번져 오랜 세월을 말하고 있는듯하여 최근에 시 몇 수와 함께 실었습니다. 이번 세 번째 시집은 근자 2~3년 동안 틈틈이 썼던 시와 그 전 시집에 담았던 몇 수를 더해 엮어 보았습니다.

인생은 참말이지 덧없이 살아지는 것 같습니다. 육십하고 구세라 그러면 법정 나이로 노인이지만, 요즈음 세상의 눈으로 보기에는 노인이라 하기엔 시퍼렇게 젊은 청년 취급을 받을 나이입니다. 불과 2~3십년 전까지만 해도 중늙은이 취급을 받던 나이였습니다. 짧지 않은 세월을 살면서 수많은 사람을 만나 그들과 본의였던 아니든간에 희로애락을 써 내려가며 천방지축 살았습니다. 때론 연애에 빠져 세상 분간할 겨를도 없었던 시간도 있었고, 이상을 실현한답시고 청춘을 불살라가며 매진한 적도 있었지만, 가까이에 있는 사람들을 많이 불편하게도 했었습니다. 몹쓸 사람을 만나 배신의 늪에 빠져 가족까지 편치 못한 삶을 살게 해가며 평생 쌓아 올린 긍정과 신뢰의 이미지는 오간데 없이 끝자락까지 추락했던 시간들, 병마를 얻어 죽음의 늪에서 허덕였던 고통의 시간을 살아낸 세월이 뒤돌아보니 어찌도 빠르게 흘렀는지 모르겠습니다.

이런 시간을 살면서 촌각을 쪼개어 챙긴 삶에 이야기를 시라는 변명의 도구로 노트해 왔습니다. 직업으로 쓴 시가 아니라 표현이 어설플 수 있지만, 용기를 내어 계속해서 써 보려 합니다. 독자 여러분의 조언과 응원을 부탁드립니다.

길동무

2024.2.1. 유승배

무거운 등짐을 진 이웃을 보면,
나귀가 되어 짐을 덜어 주기도 하네.

발길이 닿지 않는 길에서 헤매는 이를 보면
지나칠 수 없어 손을 잡고 걷는다네.

주저앉을 듯 지친 길손을 만나면
택배기 잔에 마음을 가득 담아 주련다.

주체할 수 없는 기쁨을 삭이는 친구와는
손뼉 치며 크게 웃어 주고 싶네.

걷다 보면 동무가 하나 둘 생기네 그려.
짐을 보탤 때도 있고 덜 때도 있겠죠.

평생 길동무라 여기면
짐을 덜 일도 보탤 일도 아닙니다 그려.

2021.5.9

김장

2023.11.26.

유 승 배

집 한 귀퉁이 텃밭
다소곳이 몸집을 불려 큰 꽃이 된 배추!
겉보다 속이 더 예쁘다.
젊은 여인네의 종아리처럼 매끈하고 탱탱한 무우!
시원한 달콤함을 품었다.
바람을 가득 담아 꼿꼿이 자란 쪽파와 대파!
짙푸르러 뽑아 보니 뽀얗다.
눈물 짜내는 매운 향, 한 입 깨물어 달달한 양파!
까도까도 양파다.
겨울나기로 단단해진 육 쪽 마늘!
유해공군 식재료와 어울려 식감을 복 돋는다.
여름 뙤약볕에 그을려 빨게 진 고추!
맵기도 하지만 입맛 땡 기는 데는 제일이다.
땅속에 깔끔함을 끌어 모아 향취를 더한 생강!
못생긴 외모보다 제 몫을 한다.
통 채로 소금에 절여져 맛의 영혼으로 환생한 멸치젓!

 오! 이제 쉬 거라.

냄새보단 식욕을 새운다.

이들 모두를 잠재워 아우르는 천일염!
함께하니 짜지 않다.

계절 마다 걷어 두었다가
하필 손이 시린 날을 잡아
씻고 썰고 절이고 짓이긴 것을
한데 가두어 버무리니 식탁의 감초가 된다.
아낙 혼자하면 맛이 덜할까 온 식구가 분주하다.

겨우 내내 긴 밤 간식이 되기도 하고
한 날도 거르지 않고 매 끼니 밥상에 올려도
싫은 내색 없는 먹거리
밥은 빵으로 때울 수 있어도
김치는 샐러드로 대신할 수 없다.

꽃의 마음

2023.08.22. 유승배

꽃이 왜 예쁜지 아시나요?
관심 받고 싶어서요?
누군가를 기쁘게 해주고 싶어서요?
나비랑 벌과 친하고 싶어서요?

그렇게 생각해도 괜찮아요.
아무려면 어때요.
나랑은 상관없는 일이예요.
모두 행복하면 그 뿐 이예요.

그냥, 살고 싶어요.
열매도 맺고 싶구요.
대를 이어 꽃을 피우고 싶어요.

예뻐만 해 달라면 욕심일까요!
꺾지 않고 좋아만 해줄 순 없나요?
제발 부탁 이예요.
바라만 봐 주세요.

네가 본 게 다가 아니냐!

2023.02.23. 21:41 유승배

바다에 사는 녀석들은
물 밖에 다른 세상이 있다는 걸 알기나 할까?

물 없이 숨차 하지 않는 세상!
허공을 디뎌 날아도 떨어지지 않는 곳!
두 발로 걷고 네 발로 뛰는 우리와 다른 애들!
보이지 않는 뭔가가 뺨을 스치면,
때론 시원하게 때론 차갑게
흔들리는 마술 같은 세상!
하나 인줄 알았던 물은 존재도 없는 곳에서 방울방울 떨어지더니
참 기이하게도 덩이를 키워 우리 사는 세상을 풍요롭게 하네.

이런 걸 못하고 살 거란 생각에 쪼잔 해 보여 안타까워 죽것다.

육지에 사는 녀석들은
물속에 세상도 재미나게 살아내고 있다는 걸 알

기나 할까?

이웃 간에 담을 쌓지 않아도
내 할 일, 네 할 일 구분하며 살고
내 것 네 것 챙길 줄도 안다.
걸을 필요 없으니 발이 없고
날 이유 없으니 날개도 거추장스럽다.
길을 내지 않아도 가는 곳이 길이 된다.
똥오줌을 싸도 누군가의 밥이 되니 더러워 할 필요를 못 느낀다.
모두가 알몸이니 겉치레가 사치다.

너희는 우리만 누리는 걸 어찌 부러워하지 않겠는가?

어쩌다 싸우고 죽이는 건 네놈들이나 똑같다.

동부 꽃

2023.08.22. 채전에서 유승배

모든 것을 태워 버릴 듯한
8월 뙤약볕에 맞서
보란 듯 그을리지 않았구나!

보랏빛 질감이
잘 어울리는 나비 같구나!
짙푸른 잎 사이로 내려앉아
솔바람 살랑살랑 날갯짓이 곱다.

찬바람 일 때쯤이면
떡고물로 다시 태어나
뭇 사람의 입맛을 돋우겠지!

꽃길

유승배

한 걸음 한 걸음 옮길 때마다
심은 이에 마음에 와 닿고 싶어진다.

두 걸음 세 걸음 더 할 때마다
가꾼 이에 아름다움으로 다가가고 싶다.

끝자락이 가까워지면
되돌아 천천히 걷고 싶다.

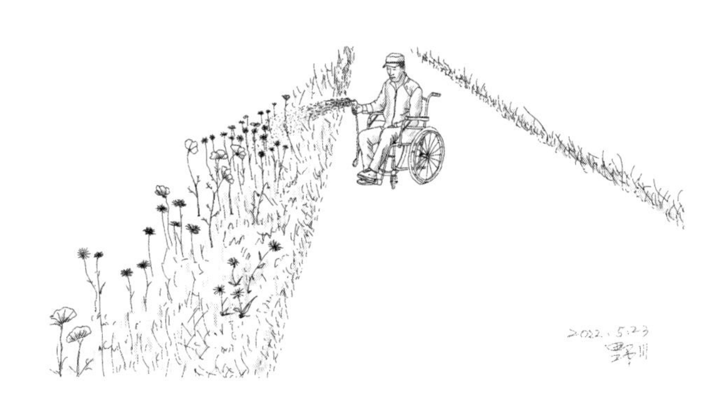

꽃이 피는 이유

2023.05.22.

유승배

꽃이 예쁘다는 건
너도 알고 나도 안다.
벌도 알고 나비도 안다.

그들이 예쁜 걸 좋아한다는 것을 안다.
어떤 자태를 하면 예뻐 보이는지도 안다.
점점 화장이 짙어진다.
애교도 부릴 줄 안다.

자꾸만 봉우리를 만들고 꽃을 피운다.
그래서 열매를 맺는다.

누구를 탓할까!

2023. 7.25. 유승배

한곳에 모이면
적어도,
몇 개는 예뻐 보이련만...
한 개도 마음에 드는 게 없네.

저것은 누구네 텃밭에서
이것은 아파트촌에서
저쪽에 것들은 고기 잡는 이가 주인인 것 같고
이맘쯤에 있는 것들은 임자한테 버림 받은 것 같아 보이네.

그곳에 있을 때만 해도 예쁨 받고 관심이 넘쳐났을 것들...
빗물에 쓸려 바다에 안겼다가 물 갓으로 밀렸네.
지친 놈들은 자태를 포기한 채 악취를 품고 널부러져 있네.

자연에서 난 것들은 자연으로 가면 그 뿐...
인간들이 만든 것들은 갈 곳이 마땅치 않아 쌓

여만 가네.

비바람 탓만 하는 저들은
비도 바람도 탓할 줄 안다는 것을 모르는가 보네.

주) 해안 쓰레기는 때를 가리지 않고 밀려든다. 나의 편의가 나를 불편하게 한다는 것을 언제쯤 깨달을까?

당신 곁을 맴도는 행복

2021. 10. 4. 행복한 꿈을 꾼 날 유승배

부자가 되고 싶어 열심히 산대요.
부자가 되면,
많이 가진 만큼 행복해 질것이라 믿거든요.

권력을 가진 사람이 부러운가 봐요.
권세가 높아지면
행복이 저절로 굴러 올 것이라 생각되나 봐요.

행복은 돈처럼 셀 수 없다는 것을 모르나 봐요.
행복은 권력처럼
높낮이가 없다는 것도 모르나 봐요.

행복은 모든 이의 가까이에서
함께해주고 싶을 거예요.
큰 행복을 찾아 먼발치를 헤매는 이에게 도요.

동창회 카톡 방

2024. 2.13. 화 유승배

온기가 가실 겨를이 없습니다.
철부지 미소가 그대로인 복이는
행운을 부지런히 실어 날라 옵니다.
얌전했던 순이도
지혜 보따리를 조용히 펼쳐 놓네요.
개구쟁이 만이는
세상의 복이란 복은 죄다 주어 모아옵니다.
하나 같이 이뻐 죽것습니다.

이 방에 들오면,
보고 싶은 친구도 만나고 고향 소식은 덤입니다.
어제는 누가 아팠나 봐요.
건강 하라는 기원이 마음까지 담겨 있습니다.
오늘은 결혼 소식이 있네요.
따끈한 덕담이 방안을 행복으로 가득 채우네요.

카톡! 카톡!
슬픈 소식 보단 기쁜 소식이었으면 싶습니다.

오늘도
카톡 방의 소식 알림이
행복! 행복! 하고 들려오네요.

밉살머리

2023.09.16. 유승배

초봄에 냉이부터 시작해서
계절이 바뀔 때마다
입맛을 알아차리기라도 하다는 듯
엄나무 순
두릅
민들레
씀바귀
쑥갓
.
.
.
내어주고 또 내어주던 대로
내 아들에 딸
그 딸에 아들까지
그 맛 그대로 대물림할 수 있을지!
지금 나만으로 가득하여
하는 짓이 밉살맞아
어림없는 일이라 할지 모른다.

윤회

2023.10.27.05:27

유승배

아이야!
새싹이 얼마나 청순하고 예쁜지 아느냐?
때가 묻지 않았기 때문이란다.
참 곱구나!

청년아!
너희를 얼마나 부러워하는지 아느냐?
그릇이 채워지지 않아 불만이 많을 줄 안다.
무엇이든 채울 수 있기에 부러운 거란다.

어른들이여!
꿈 꾼대로 다 가지셨나요?
늘 부족하여 채우다 보니 등짐이 무거우시죠.
때론 「나눔」을 마음에 담고 사셨을 줄 믿어요.

노인이시여!
살아 보니 어떠하셨나요?
아쉽고 후회스러운 일들이 왜 이리 많은지!
한 번 더 태어나게 되면, 잘 살아낼 자신 있으시

 오! 이제 쉬 거라.

죠?

그래요.
이미 당신께선 여러 번 다시 태어나 살고 계시죠.
아들과 딸, 그 자식에 아들딸들이 대를 이어가며,
당신 몫을 잘 살아 주고 있잖아요?

갯메꽃

유승배

갯가 모래 턱에
거름이라고는
짠물 절여진 은빛 모래뿐
통보리사초와 잘 어울려 살아내네.

새하얀 나팔 모양 통 꽃 안 언저리에
연분홍 립스틱 엷게 바르고 유혹하네.
들물 갯바람에 돌이돌이 흔들며
애절히 누군가를 부르는 듯하다.

동행

2024.03.22.미세 먼지 약간　　　　　　　　　　　　　　　유승배

슬픔에 잠기지 마세요.
사랑하는 임에 생일일 수 있잖아요.
그래도 참기 힘들면 맘껏 슬퍼하세요.

외로워하지 마세요.
친구가 성대한 연회에 초대할지 모르잖아요.
그래도 쓸쓸하거든 고독에 빠지세요.

괴로워하지 마세요.
우애 깊은 형제가 찾아올지 누가 알아요.
그래도 고통스러우면 아프다 말하세요.

기뻐하지 마세요.
굶주린 지인이 가까이에 있을 수 있어요.
그래도 버티기 힘에 겨우면 그리하세요.

혼자 걷지 마세요.
동행하길 애타게 바라는 벗이 있을지 몰라요.
그래도 홀로 걷고 싶으면 그리해도 되요.

꽃의 심성으로 돌아가야 하네.

2023.06.19. 유승배

어느 날 어디에 있든
이기를 낚으려 아무도 의식하지 않네.

필요하면 취하면 그뿐
누군가의 아픔 따윈 사치일 뿐이네.

몇 번을 생각해도 밉다.
몇 날을 고민해도 용서가 되지 않네.

미워서 용서해야 한다.
미움으로 허비하는 것은 바보짓이라네.

꽃은 예쁜 자태 그대로이다.
꽃의 심성으로 돌아가야 하네.

나를 위한 詩

2022.08.28.수요일 유승배

일을 할 때도
누군가의 얘기를 들어 줄 때도
누구에게 뭔가를 물어 볼 때도
운동할 때도
식사를 할 때도
휴식을 취할 때도
한밤 동안 잠을 잘 때도
.
.
.
무엇을 할 때든
나는 쉼 없이
나의 시간을!
나를 위한 詩로 채운다.

나의 시간을 훔치려는 자에겐
외면하면서,

나의 시간을 빼앗으려는 자에겐

저항하면서,

나의 시간을 같이하려는 자에겐
동행하면서,

내 맘대로
나를 위한 詩를 완성해 나간다.

인동초

유승배

코를 꿰여 끌려 간 이
나비 너 뿐이더냐?
풀숲을 더듬어 얼마를 뛰었을까?
온 사방 가득
눈도 코도 취하게 하더니
정신 줄을 놓게 하네.

잡풀에 섞여 더 잘 어울리는 자태
도드라지진 않아도
암수 가리지 않고 꾀인 듯 모이게 하네.

겉모습으로 유혹하기엔
덜 빼어난 외모

발가벗은 듯 새하얀 꽃은 군더더기 없어 가냘픈데
마술을 부리는 향주머니는 깊이가 얼마일까!

새끼손가락 봉선화 물처럼
노란 때깔을 내며 밉지 않게 익어가네.

지는 모습까지 추하지 않으려 자연스럽다.

배려

2023.01.17. 새벽 유승배

급한 나머지
화장실 문을 열었더니,
실내화를 바로 신을 수 있도록
돌려 벗어놨네요.

누구의 마음일까?
‘참! 곱다.’
‘아름답다.’
‘감동이다.’

닮고 싶다.

세상에서 가장 아름다운 소리

2024.1.31. 유승배

안녕하세요?

.

.

.

감사합니다.

.

.

.

사랑합니다.

솔머리 바닷가

2023.03.16. 유승배

걷고 있을 뿐
조개껍질, 모래, 갯벌
파도와 하얀 박자를 맞추는 갯바위
언뜻 보아 단조로운
만의 얼굴들이 반긴다.

조화로운 배경이 갈증 난 듯
자유로운 뭉게구름
벌겋게 달아오른 석양
그사이를 가로지르는 갈매기 날갯짓
간이 딱 맞는 갯내음까지…

때론 차가움으로 따뜻하게 품어주고
냉정함으로 생명을 불어 넣어주는 곳
화려하지 않아 질리지 않는다.

다리가 아프도록 걷고 싶어진다.
이곳을 벗어나면
이보다 더한 행복으로 살아낼 수 있을까?

나도 그들의 하나이고 싶어 걷는다.

신가 놈에게

2005. 1. 2. 흐림 유승배

어떤 현몽 속에 ‘깨어나라’ 하심이
이천오년을 희망으로 부르네.

고맙네.
살아 있음에 고맙고
뭐라 말해 주니 더욱 고맙네.

이제,
원망도 말고 자책도 하지 말세나.
후회 또한 버리세.

그리고
잃지 말세나.
적어도 우린 살아 있음이 희망이요.
희망이 운명이로세.

다음 역에 선, 우린
‘단란함’이 부러워 보이고,
‘정돈이 잘된 여유 있는 삶’이

행복해 보이는 가슴 이로 세.

감사보다 존심

2023.02.11. 06:41 유승배

시선을 마주치니
불편한 표정이네요.
이내, 다른 곳에 눈길을 주네요.

흐트러지는 몸짓이 불안하여
자꾸만 힐끗힐끗 훔쳐보게 되네요.
아예, 등 돌려 돌아앉네요.

벌떡 일어나더니
벽에 대고 등을 부비 되네요.
'제가 해 드릴까요?'
대답 대신 눈이 마주쳤어요.

몸부림의 진정이 멈췄네요.
잘못이라도 한 것처럼 멋쩍어하네요.
슬그머니 등 돌려 자리를 뜨네요.

아내는 꾼이다.

2018 가을 유승배

아내는 농사꾼이다.
이백 평 남짓한 텃밭 주인이 내 아내다.
농사를 지은 지는 이십 년 하고도 삼사 년은 넉히 넘을게다.
처음엔 농사 왕초 찾아 이리 묻고 저리 묻더니만,
이젠 정리한 가계부를 보고 씨를 뿌린다.
이리 보고 저리 보고 고른 씨는 지문이 박혀 아내표가 된다.
낱알을 헤아려 가며 줄 맞춘 텃밭은 잘 훈련된 제식 병사의 연병장 같다.
밭을 맬라치면 뒤에 놈이 더 자라 아내 목덜미가 흑색으로 그을린다.

아내는 장사꾼이다.
아내의 샘 법은 정확하다
마늘 한 접에 100개 덤은 딱3개, 이런 식이다.
줄 건 주고받을 건 받는다. 10원도 에누리 없다.

미적지근해서 서운하면 안 된다.

아내는 나눔에 천사다.
짠돌이가 마음에 들면 막 퍼 준다.
농사 안 짓는다며 거시기네에게 마늘 한 접, 양
파 한 망 내민다.

아내는 꾼이다.

새 길을 닦은 자의 마음

2022.08.25. 유승배

새 길을 닦기로 마음먹기란
몇 날을 고민했음이 틀림없다.
고대고 외로운 일일 테니까!

새 길을 닦을 때의 마음은
누구나 이 길을 이용해 줄 거란 믿음이 있어
용기 내어 육신에 고단함을 이겨내고
이 길을 만들었겠지.

그는 지금
편히 잠들어 이 길을 오가는 이들을
먼발치에서 지켜만 보고 있겠지.

이 길이 아니면 돌고 돌아
몇 나절은 훨씬 더 걸어야 했을 이들은,
걸음걸이에 힘들고 바쁜 나머지
별 생각 없이 지나치겠지.

간혹, 쉬어가는 자 중에
처음 길을 닦은 용기 있는 자를 향해....

이렇게 입속말을 할지도 모르지.
'덕분에 편리하게 잘 이용하고 있습니다.'

개울

유승배

한 방울
한 방울 모이더니
눈 감고 끌려가듯
낮은 곳을 찾아 지렁이를 그리네.

여기저기
이리저리 아무렇게나 패이더니
아무렇지 않게 도랑이 되어
개울을 만드네.

실개천 소리가 점점 커지더니
큰 배를 품고 당당히 바다로 향하네.

만물들의 목욕 뒷물을 어떻게 감당할까 했더니
보란 듯 자유자재로 생명들을 잉태하네.
이들이 재미나게 살라고 품어만 준다네.

사람의 욕심보다 커진
배려의 품 안이 되어 떳떳이 흐르네.

아침

2023.08.24. 유승배

눈을 뜨니 살아 있다는 것을 실감합니다.
아내가 좋은 꿈을 꾸는지 잠든 모습이 편안해 보입니다.
60대 할머니가 30대 신부처럼 주름이 가려져 보입니다.
안심입니다.
발뒤꿈치를 들고 밖으로 나왔습니다.
고양이가 앞마당에 벌렁 들어 누어 가랑이가 찢어지도록 기지개를 폅니다.
잔잔한 선율의 풀벌레 소리가 호기심을 자극합니다.
들녘 풀숲을 지나는 동안 누구도 '시끄럽다' 불평하지 않습니다.
풀잎에 맺힌 이슬은 마치 수백 개의 수정 구슬이 매달린 듯 영롱합니다.
참새란 녀석이 이슬을 먹으려 내려앉더니만 이들을 떨구어 무지개를 뿌립니다.
들녘은 온통 푸릅니다.
앞동산에 뽀얀 안개가 춤사위처럼 내려앉았습니

다. 춤꾼의 손끝에 매달린 흰 천 조각 너풀거림
처럼 학 한리가 가볍게 가로지릅니다.
부지런한 농부도 이에 질세라 트랙터 굉음을 내
며 정적을 깹니다.
화들짝 놀란 개구리란 놈이 제멋에 취해 성대가
찢어 저라 노래 부르다 코끝만 내민 채 꼼짝하
지 않습니다.
이것저것 챙겨 보고 들으려니 어느 결에 행복합
니다.
상념 할 겨를이 없으니 상쾌합니다.
매시간이 이랬으면 좋겠습니다.
그들에게서 행복을 받듯 그들에게 되갚아 줄 뭔
가를 찾게 되는 시간입니다.

꿈은 꾸는 거예요

유승배

꿈을 꾸어 보세요.
이루어지지 않아도 되고요.
이룰 수 없어도 괜찮아요.
꿈은 꾸는 거예요.

나이가 무슨 상관 이예요.
초저녁에 꾸어도 되고요.
낮잠을 자다 꾸어도 된대요.

꿈을 꾼다고 시기해도 꾸어 봐요.
작은 꿈도 괜찮아요.
꿈은 꾸는 거예요.

꿈이 꾸어지지 않아도 꾸어 보세요.
꿈을 꾸지 않는 사람은 꿈이 없대요.
꿈은 꾸는 거예요.

어떤 꿈이면 무슨 상관이에요.
허황된 꿈이라도 괜찮아요.
꿈은 꾸는 거예요.

꿈을 꾸지 않는 사람은
꿈이 없어
허무하대요.

꿈을 꾸는 사람은
꿈을 꾸면서
희망이 가득하대요.

누구의 눈치도 보지 말고
꿈을 꾸어 보세요.
꿈은 나를 위해서 꾸는 거예요.

어떻게 대답할래?

2023.09.16. 유승배

잘 생긴 사람이 마트에 물건을 사러 왔다.
'맥주 없어요?'
'....'

예쁜 아가씨가 식당에 갔어요.
'식사 안 되죠?'
'....'

똘똘한 신사가 문구점에 왔다.
'복사할 수 없죠?'
'....'

배불뚝이 사장님이 복덕방에 들렀다.
'물건 나온 것 없죠?'
'....'

따발총을 단 아줌마가 역전에 헐래 벌떡 뛰어오더니

'기차표 살 수 없죠?'
'....'

어쩌라고!

예쁘게 보면 곱게 보인다.

2023.03.01. 맑음

유승배

꽃이
예쁘지 않다.
아름답다.
곱다.

만나는 사람이
밉다.
잘 생겼다.
멋지다.

생긴 대로
생각대로
느낀 대로
다 다르다.

못나 보이는 것이 따로 있는 걸까?
예쁨은 누구의 생각일까?
아름다움은 어떤 이의 가슴에 품겼을까?

엄마의 마음으로 보면,
다 예쁘고
모두 아름답고
온 세상이 곱지 않은 것이 없다.

예쁘게 보면 곱게 보인다.

오! 이젠 쉬 거라.

2023.11.09. 유승배

오라!
늦 서릿발 사이로 새싹이 돋아나는 봄이 되면,
기쁜 소식 가득 담은 편지를 제비 주둥이에 물려 보내 거라.

오라!
더위를 이겨낸 산야의 푸른 잎이 무성한 여름이 되면,
지치지 않는 낙타 등에 시원한 냉수나 한 통 실어 보내 거라.

오라!
들녘에 오곡백과 익는 냄새가 진동하는 가을이 되면,
황금빛 들녘을 가로질러 요기할 것이나 보내 거라.

오! 이젠, 쉬 거라!
봄, 여름, 가을에 받은 선물이 가슴에 가득하니,

엄동 겨울엔, 네 집 찾아 따뜻한 품으로 돌아가 쉬 거라.

참과 거짓

2022.08.07. 유승배

거짓이 맞나요?
참이 옳은가요?
결론부터 말하면,
‘둘 다 맞다.’에요.

왜냐면요.
그런 세상에 살고 있으니까요.

외눈박이 세상

2024.2.29. 유승배

오래 전부터 전해오는 이야기에
외눈박이 마을이 있었습니다.
불편을 못 느끼기에 행복했습니다.
실수를 해도 이해하고
예쁘지 않아도 곱게 보고
의지하며 살았습니다.
이웃을 우리 집처럼 말이죠.
단, 한 가지 나보다 잘난 건 싫었습니다.

어느 날
두 눈을 가진 장애 외계인이 찾아 왔습니다.
병신이 왔다고 떼거리로 놀려 주었습니다.
외계인은 자신의 위아래를 살피며 어리둥절했습니다.
건강 진단서를 내 보였지만 소용이 없었습니다.
병신임을 깨닫는데 한 참의 시간이 흘렀습니다.
다름을 인정하는 시간이었습니다.

이 맘 때면

2023.04.22. 유승배

이 맘 때면,
그곳엔
온 산이 진달래로 물들어 있겠지.
아가씨들의 치마폭에도 연분홍이 가득할거야
진달래 옅게 물들여진 화전을 안주 삼아
막걸리 판이 벌어졌겠지.

이 맘 때면,
그곳엔
논두렁 밭두렁 가득 피어난 여린 쑥 향이
아낙들의 바구니에 넘쳐날게야
마포 보자기에 쪄낸
쑥 개떡 둘러앉아 시끌벅적 하겠지.

쭉정이가 되어야 죽지 않는 거란다.

2023.09.20.화 유승배

싹을 못 틔운 씨앗은 그대로 썩는단다.
이음이 단절되는 거지.
그냥 죽고 마는 거야.

좋은 새 생명은 희생의 결과물이란다.
아름다운 꽃을 피울 수 있는 것은 자신을 버렸기 때문이지.
열매를 '버림의 시작'이라 이름 지워 주고 싶구나.

때가 되면 한 올의 터럭까지 내놓아야 한단다.
비로소, 쭉정이가 되어야 다시 태어나게 되는 거지.
그래서 죽지 않는 거란다.

참지도자

2022.08.14. 유승배

넓은 집에서 맛 나는 것만 먹을 것 같고
늘 신나는 일만 있고요.
많이 가져 부족한 것이라곤 한 개도 없을 테지요.
힘든 일이란 애초에 없을 테니
잠도 맘껏 자겠죠.
아플 이유가 없으니
예쁜 옷에 멋진 구두를 신고 살겠죠.
안 되는 일도 없을 거구요,
슬픈 일은 처음부터 없을 거라 믿죠.
그러니, 행복하기만 할 거예요.
그렇게 생각하는가 봐요.

그래서 혼자서 속 아리를 하지만,
어릴 적 엄마 아빠가 뭐든 해결해 주듯
무엇이든 귀담아 들었다가 해결해 줄 것이라 믿지요.
행여나 듣는 둥 마는 둥 하거나
듣고도 요구한 대로 못 해결하면

아무나 붙들고 침이 마를 때까지 일러바친다오.
속절없이
그 사람 참 나쁜 놈이라고...

참지 마세요.

2024.2.2.00:25 유승배

슬퍼 가슴이 아릴 땐
속으로 삭이지 마세요.
속병이 생겨 더는 슬퍼할 수 없어요.
눈치 보지 말고 소리 내어 펑펑 우세요.

기뻐 가슴이 벅찰 땐
속으로 삭이지 마세요.
표정이 굳어 더는 기뻐할 수 없어요.
의식하지 말고 온몸으로 밝게 웃어요.

좋아하는 사람이 생기면
먼발치에서 맴돌지 마세요.
다른 이가 먼저 고백하게 될지 몰라요.
좋아서 미칠 것 같다고 용기 내어 보세요.

초등학교 동창회

2006. 8.31 유승배

시집가는 아가씨의 마음이 이랬을까 싶은 설렘으로

한 자리에 모인지도 여러 해 일세 그려.

추운 겨울이었지.

아마, 뽀얀 눈도 축복해 주었을 거야.

분위기가 너무 포근해서,

어느 산장으로 자리를 옮겼지.

청춘 남녀의 아름다운 사랑타령에 견줄까?

그간의 마음을 전하는 시간이었기에,

누가 보기라도 했으면 배알이 좀 했을 테지.

그렇게 오랜만에 만난 오누이의 다정함으로

날밤을 깠지.

해장은 아마도 콩나물국으로 속을 풀었을 거야.

진행 중인 38년만의 회포를!

잠시 덮어 놓은 채,

다들 어디론가 떼어 보내야 했던 섭섭함.

그러기를 여러 번!

지금도 여전히 그 마음 변치 않았겠지!

주) 초등학교 졸업 후 38년 만에 첫 동창회를 열던 날을 기념하며....

출향

2023.03.27. 유승배

솔머리를 벗어나
똥메에 다다르면
뒤돌아 연신 가슴에 담아도 채워지지 않네.
곤주메를 서너 번 휘감아 걷노라면
그리운 얼굴들이 보였다가 가려지길 여러 번

5리길 읍내에 다다르는 내내
등 돌려 뒷걸음치길 수없이
새기고 되새겨도 자꾸만 돼 돌아보게 되네.

차창 밖으로 스치는 아름다운 그림들은
온통,
가슴에 품었던 얼굴들!
추억으로 가득하여라.

벌써 그리워지네.

주) 곤주메/똥메 : 충남 서천군 비인면 선도1리에서 면소재지로 가는 길목에
있는 아주 작은 두 개의 산

솔머리 : 솔머리는 선도리의 또 다른 이름이다. 마을 어구에 소나무
군락지가 있어 솔머리라 불이었다고 전한다.

칠순 이후의 시간

2022.10.10. 유승배

손엔 굳은살이 돋아 무뎌지고
눈곱이 자주 끼는 눈은 침침해지는데
귀 딱지가 귓구멍을 막아 서운한 소리만 들리네.

연골이 닳아 걸음마가 시침 가듯 느려만 가고
개평 술 먹자 해도 실수할까 걱정이 앞서네.
화들짝 들어 올리던 쌀가마는 고사하고
새털처럼 가벼워진 마누라도 업지 못하네.

해 그림자가
오전보다 오후 나절이 짧듯
칠순을 넘기니,
하루가 초침 찰칵거림처럼 자꾸만 빨리 간다.

해변의 얼굴들

2023. 01. 29.

유승배

해변으로 가 봐요.
낯설지 않은 얼굴들이 누군가를 기다려요.

개성이 살아 있는 모난 돌멩이
까칠하니 아직 죽지 않은 조개껍질
잔잔히 리듬을 타는 물결은 무한 반복하고,
광풍이 불면 온통 혼비백산하지요.

얼마의 시간이 흘렀을까?
개성을 잃고
한 결 같이 매끌매끌 해진 조약돌
파도의 간지럼에 자지러지지요.

세파에 두들겨 맞은
멍 때리는 자들에 눈에 들면,
품에 안겨 행운을 품는다오.

"딸바보"
sendori
2024. 4. 17.

행복

2023.3.30. 유승배

행복에 색깔이 있나요?
예쁠 거예요

행복은 향기가 있나요?
그럴 거예요.

행복은 느낌이 있나요?
자신도 몰라요.

행복은 주인이 있나요?
누구에 것도 아니 예요.

행복은 비싼가요?
팔지 않아요.

행복은 어디에 있나요?
가까이에 있어요.

행복을 가지고 싶어요?

가지려는 사람이 많아요.

행복 하고 싶어요?
지금 가지면 되요.

흙

2023.06.19. 유승배

풀을 뜯고 고기를 씹는 것들이
푸석푸석 먼지를 날리며 발자국을 남긴다.

비가 개이고
촉촉해지더니
바람에 베일 듯 연약한 싹들이
육중한 대지를 재끼고
살아 있음을 과시한다.
지렁이가 꿈틀되고
굼벵이도 구른다.

마침내,
보이지 않는
바람을 일으키고 소리를 창조한다.

무게를 감내하는 발자국 말고는
무엇도 상상할 수 없었던...
생명을 잉태하고 키우고 품어 낸다.
죽음까지도...

무슨 일을 하였느냐?

2024.05.23. 좋은 아침 유승배

나는 자칭 백성들에 공복, 공무원을 하다가 왔습니다.
좋은 일을 해 보려고 애써 봤지만 인정받지는 못했습니다.
백성들이 불편한데는 없다고 하더냐? 고생은 많았지만 인정받기는 넉넉지 않지!

나는 닥치는 대로 훔쳐 먹고 살다 왔습니다.
가진 놈들 것을 홈칠 때는 덜 불편했습니다만……
배탈은 나지 않았느냐? 애라 이놈! 이제부터라도 열심히 일을 하 거라.

나는 큰 회사의 사장 질을 하다 왔습니다.
먹고 사는 걱정은 없었지만 못 가져 본 것이 많아 아쉽습니다.
부족한 것이 있으면 말해 보거라. 지구를 걱정하는 마음도 담겨 있겠지!

저는 뭇 사람들이 저 편하겠다고 버린 쓰레기를 줍다왔습니다.
사람들은 저 같은 사람을 가벼이 여기지요.
고생이 많았구나! 덕분에 지구는 덜 더렵혀졌겠구나!

저는 농사를 지어먹고 살았습니다.
이른 새벽부터 논밭을 열심히 일구다보니 허리가 휘어 볼 상이 그렇습니다.
다른 사람들 먹거리 대느라 고생했다. 이젠 편히 쉬 거라.

저는 신의 말씀을 전달하는 자이옵니다.
저도 실천하기 어려운 것들을 세상 사람들에게 전하려니 힘이 듭니다.
그래, 안다. 너 자신을 위해서라도 신의 말씀을 따르며 살 거라.